送給莉莉一隻貓

【紐西蘭】吉爾・皮特／著 趙曉宇／繪

中華教育

責任編輯　夏柏維
裝幀設計　龐雅美
排　　版　龐雅美
印　　務　劉漢舉

送給莉莉一隻貓

【紐西蘭】吉爾・皮特／著　趙曉宇／繪

出版｜中華教育
香港北角英皇道 499 號北角工業大廈 1 樓 B 室
電話：（852）2137 2338 傳真：（852）2713 8202
電子郵件：info@chunghwabook.com.hk
網址：http://www.chunghwabook.com.hk

發行｜香港聯合書刊物流有限公司
香港新界荃灣德士古道 220-248 號荃灣工業中心 16 樓
電話：（852）2150 2100　傳真：（852）2407 3062
電子郵件：info@suplogistics.com.hk

印刷｜美雅印刷製本有限公司
香港觀塘榮業街 6 號海濱工業大廈 4 字樓 A 室

版次｜2021 年 12 月第 1 版第 1 次印刷

規格｜16 開（190mm x 140mm）
ISBN｜978-988-8760-10-7

「米莉、茉莉和莉莉的成長故事」系列　社會篇：《送給莉莉一隻貓》

怎樣幫助朋友融入新生活

當米莉和茉莉把自己的貓介紹給莉莉時，她們細心地感受到莉莉失落的心情，於是決定送給莉莉一隻小貓。她們對新朋友的體貼，幫助莉莉度過了適應期。

這個星期一可不一般。

聽說班裏轉來了一個女同學，米莉和茉莉很期待與她見面。

米莉和茉莉上了校車，揮手向小貓咪咪和淘淘告別。

到了學校，布萊思老師把新同學介紹給大家，沒想到，就是那個和她們名字相似的中國女孩子——莉莉！

布萊思老師把莉莉的座位安排到了米莉和茉莉中間。

自從上次家庭聚會後，米莉和茉莉就喜歡上了莉莉。

現在，她們三個天天在一起玩，
發現彼此竟然有許多相同的愛好。

米莉和茉莉喜歡紅色，莉莉也一樣。

莉莉每天都帶一個蘋果到學校，
米莉和茉莉也是如此。

米莉和茉莉喜歡在麥德嬸嬸的菜園裏和她一起剝豆子，莉莉也喜歡。

「你們三個就像一個豆莢裏的三粒豌豆。」麥德嬸嬸說笑道。

巧克力香蕉蛋糕是米莉、茉莉和莉莉永遠的最愛。

莉莉喜歡餵農夫郝加蒂的小羔羊，米莉和茉莉跟她一樣喜歡。

最可愛的是，米莉和茉莉跟莉莉一樣愛笑。

　　茉莉把莉莉介紹給咪咪。「牠的毛好軟。」莉莉小聲說。

米莉把莉莉介紹給淘淘。「牠好暖和。」莉莉溫柔地說。

莉莉聽咪咪和淘淘打呼嚕，聽了一會，忽然說：「我得回家了。」

「我想莉莉一定希望有一隻自己的貓。」米莉說。

茉莉對着米莉的耳朵說了幾句悄悄話。「但是，我們必須非常有耐心。」她又大聲加了一句。

一天，茉莉邀請米莉、莉莉和媽媽們一起喝下午茶。

就在莉莉大口吃着香蕉蛋糕時，茉莉說：「莉莉，我給你看樣東西。」說着，她朝米莉打了一個眼色。

茉莉把莉莉領到一個角落，那兒放着一個籃子，籃子裏有幾隻剛出生的小貓咪。茉莉說：「你可以挑一隻帶回家。」莉莉高興極了。

「我該選哪一隻呢？」莉莉興奮地尖叫道，「牠們都好可愛呀！」

「那隻四肢都是白色的怎麼樣？」她的媽媽建議道。

「好吧！請到我這裏來吧。」莉莉懇求道。那隻小貓咪好像聽懂了一樣，向她探出了身子。

莉莉溫柔地把那隻小貓咪從籃子裏抱出來，說：「我以後就叫牠糖糖了。」

米莉、茉莉和莉莉疼愛地把小貓們抱在懷中。

「麥德嬸嬸說得對，」媽媽們說，「你們就像一個豆莢裏的三粒豌豆。」

《送給莉莉一隻貓》閱讀指導

1 回憶

回想故事裏的角色：米莉、茉莉、莉莉、她們的媽媽、布萊思老師。

2 提問

米莉、茉莉和莉莉有哪些共同的愛好？

莉莉見到小貓咪咪和淘淘後心情是怎樣的？

莉莉離開後，米莉和茉莉做了一個甚麼決定？

3 理解

理解故事中包含的主題：體貼（細心體會別人的心情和處境，給予關懷和照顧）。

當米莉和茉莉把自己的貓介紹給莉莉時，她們細心地感受到莉莉失落的心情，於是決定送給莉莉一隻小貓。她們對新朋友的體貼照顧，顯示出她們內心的温暖。

4 訓練

寫：仔細回想你和朋友相處的細節，寫出你可以為朋友做的事情。

說：分享一件你被朋友體貼照顧的事情以及你當時的感受。

做：做一件令朋友高興的事。

創：和小夥伴們一起排演這個故事吧。或者按本冊主題新編一個故事，可以畫下來、寫下來，也可以講出來喲！